Harmen van Straaten

# Fien
# telt
# voor
# tien !

Leopold / Amsterdam

NEDERLANDSE
**KINDERJURY**
2005

Eerste druk 2004

© 2004 tekst en illustraties: Harmen van Straaten

Omslagontwerp: Petra Gerritsen

NUR 281

ISBN 90 258 4454 5

# Inhoud

# Achteruit schaatsen

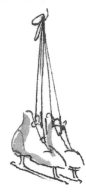

'Ik ga niet op dubbele ijzers schaatsen.' Fien stampt op de grond. 'Ik wil kunstschaatsen!'

Mama zucht.

'Voor de zoveelste keer, Fien, je moet eerst leren schaatsen en daarna zien we verder.'

Fien gaat boven aan de trap zitten. Het vriest nu al meer dan een week heel streng. Iedereen is aan het schaatsen. Bert kan het al, maar die heeft het geleerd toen er drie winters geleden ijs lag.

Suzie van drie huizen verderop heeft wel kunstschaatsen en Peggy van de achterburen ook. Fien heeft ze gisteren gezien. Ze mocht ze ook even aan.

'Mooi hè?' zei Suzie terwijl ze haar schaatsen aaide.

Fien knikte. 'Heel mooi. Maar ik heb ze liever in het roze.' Die heeft ze gezien op tv bij de kampioenschappen kunstschaatsen.

Bert heeft schaatsen die hij aan zijn eigen schoenen vast kan maken. Maar die wil Fien ook niet. Ze wil kunstschaatsen, desnoods witte.

Fien staat van de trap op en zucht. Dan gaat ze maar tv-kijken. De kampioenschappen zijn er weer op. Een schaatsster uit Rusland is aan de beurt. Ze heeft een zilveren jurk aan en zilveren schaatsen. Ze danst op één been achteruit over het ijs en maakt een driedubbele sprong achteruit.

Fien gaat op een stoel staan en probeert met haar armen omhoog op één been een rondje te draaien.

'Hoi, kunstschaatskampioen,' hoort ze plotseling. Het is Bert. Hij staat om Fien te lachen en houdt de schaatsen met de dubbele ijzers omhoog. 'Ga je mee?'

Fien wordt rood. 'Zak door het ijs!'

Bert loopt nog steeds lachend weg.

Fien kijkt naar buiten. Op de sloot is iedereen aan het schaatsen. Peggy en Suzie schaatsen samen met een beschermrubber tussen hen in.

Fien bijt op haar lippen. Rotwinter! denkt ze. Ging het maar dooien.

Het schaatsen op de tv is inmiddels afgelopen. Ze trekt haar jas en wanten aan en loopt naar het bruggetje.

Op de hoek van de straat staat de moeder van Peggy.

'Zo, Fien, moet jij niet schaatsen?'

Fien denkt even na. 'Ik heb last van schaatsvoeten,' zegt ze dan. 'Mama heeft het ook en die heeft ook een tennisarm.'

'Wat vervelend voor je,' zegt de moeder van Peggy. 'Hopelijk gaat het snel over.'

'Het kan heel lang duren,' antwoordt Fien. Ze loopt snel verder.

Even later staat ze op het bruggetje. In de verte schaatst Bert met een paar vrienden. Fien duikt snel achter de leuning, ze wil niet dat hij haar ziet.

'Joehoe!' hoort ze opeens achter zich. Verschrikt draait ze zich om. Peggy en Suzie glijden net onder haar door.

'Kom je ook?' roepen ze.

Fien schudt haar hoofd. 'Ik heb niet zo'n zin vandaag,' zegt ze.

'Je kan het zeker niet,' zegt Suzie giechelend.

Peggy wijst naar een kleuter op dubbele ijzers die staat te klungelen achter een stoel. 'Misschien moet je het eens met een stoel proberen.'

Fien staat te koken. 'Ik kan toevallig heel goed schaatsen,' zegt ze. 'Maar ik kan het alleen achteruit.'

Terwijl ze naar huis loopt, trapt ze een steentje weg.

De moeder van Peggy staat nog steeds op straat. 'Morgen gaat het dooien,' hoort Fien haar tegen de buurman zeggen.

Lekker puh! denkt Fien.

## Altijd prijs

'Fien, je kunt in de draaimolen, en dat is het. Je gaat niet in de Octopus, of hoe dat ding ook heet.'

Fien kijkt naar de Octopus. Aan de ijzeren armen draaien bakjes rond met krijsende mensen erin. Die hebben allemaal een kaartje van vier euro gekocht. Zoveel geld heeft Fien niet.

'Ik wil niet in de draaimolen.'

'Nou, dan ga je niet in de draaimolen, maar dat is het enige waar ik nog geld aan wil uitgeven.' Mama trekt aan haar arm.

'Mag ik dan een houten wandelstok?'

'Wat moet je daar nou mee!'

'Gewoon, ik wil het,' zegt Fien.

'Je kunt zo'n bal krijgen, met een elastiekje.'

Boos kijkt Fien voor zich uit. Ze wil geen bal met een elastiekje. Zo'n prop zilverpapier met een netje eromheen, wat moet je daar nou mee?

De zuurstok was ook al niet lekker. Eigenlijk is die hele kermis stom.

'Wacht hier bij de ballentent, Fien. Ik ga even kijken hoe het met Bert en Mark gaat bij de botsauto's. En dan gaan we lekker naar huis. De kermis zit er voor mij helemaal op.'

Daar staat Peggy voor Fiens neus.

8

'Ik ga met mijn broer in de botsauto's. Ben jij al geweest?'

Fien slikt.

'Ga jij niet met Bert? Of mag je soms niet? Straks ga ik naar de botsauto's, dan in de Moonlift en daarna in de Octopus. En jij? Je mag zeker niet, hè?'

Fien loopt rood aan.

'Toevallig mag ik overal in, maar ik kan er niet tegen. Ik krijg dan weer last van mijn wagenziekte.'

Als Peggy wegrent denkt Fien: Vlieg jij lekker die botsauto uit. Ik hoop dat Bert en Mark zo hard tegen je aan botsen, dat je niet eens meer aan de Octopus wil dénken, dat je alleen nog maar naar huis wil.

Fien kruist haar twee wijsvingers, alsof ze een toverspreuk uitspreekt.

'Altijd prijs,' hoort ze achter zich. 'Drie ballen, altijd prijs.'

Een jongen speelt met drie ballen. Hij wijst naar een plank in de kraam. Daar staat een stel blikken op elkaar gestapeld.

'Nou?' De jongen houdt de drie ballen voor Fiens neus. 'Wat denk je? Word jij vandaag de nieuwe kampioen blikkengooien?'

Fien twijfelt. Het kost maar twee euro vijftig. Of je nou raak gooit of niet, dat maakt niets uit.

'Drie ballen, altijd prijs!' gilt de jongen weer naar de voorbijgangers.

Fien kijkt naar de prijzen. Er staan radio's bij, poppen met Spaanse jurken, dozen met glimmend bestek, broodroosters, computerspelletjes en horloges. Te veel om te kiezen.

Fien voelt haar drie euro in haar broekzak. Dan ziet ze

een grote pandabeer. Hij is bijna zo groot als Fien.

Een pandabeer voor twee euro vijftig, denkt Fien, dat is helemaal niet veel.

Ze loopt naar de jongen.

Waarom zou ze die ballen nog gooien? Laat hem die beer maar meteen inpakken. Ze geeft hem de drie euro.

Hij geeft haar drie ballen en vijftig eurocent terug.

Hij wijst. 'Daar moet je staan.'

Nou ja, denkt Fien, ik heb ervoor betaald.

'Kom op, kleintje,' roept de jongen, 'in één worp eraf. En? Waar ga je voor gooien?'

Ze wijst naar de grote pandabeer en mikt. De bal maakt een boogje en blijft vlak naast de blikken liggen.

'Geeft niks!' roept de jongen. 'Je hebt nog twee kansen.'

Fien steekt het puntje van haar tong uit haar mond en gooit.

'Bijna raak,' roept de jongen. 'Je komt steeds dichterbij. Nog één keer.'

Ja, nog één keer, denkt Fien, en dan kan hij de pandabeer voor me van de plank halen. Ze gooit de laatste bal.

'Wat kun jij goed richten,' zegt de jongen. 'Net niet raak.' Hij duikt onder de toonbank. 'Wacht, ik zal je prijs pakken.'

In zijn hand houdt hij een bal met een elastiekje. 'Kijk eens,' zegt hij, 'hier is je prijs.'

'Nee, hoor, dankjewel,' zegt Fien. 'Ik wil die pandabeer.'

'Ja, daaag,' zegt de jongen. 'Daar moet je alles raak voor gooien en

dan niet één keer, maar negen keer.'

'Maar je hebt gezegd: "Altijd prijs",' zegt Fien.

'Ja, en dit is een troostprijs.'

'Ik wil die bal helemaal niet. Ik vind het een heel stomme bal. Mag ik dan een wandelstok?'

De jongen kijkt om zich heen of hij zijn baas ziet.

Hij geeft haar een wandelstok. 'Hier, vooruit dan maar, omdat je zo goed kan richten,' zegt de jongen. 'Niet verder vertellen, hoor.'

Fien loopt terug naar de plek waar ze op mama moest wachten.

'Fien,' roept mama. 'Wat zie ik daar, heb je toch zo'n wandelstok gekocht? Wat had ik nou gezegd? Ik loop even weg en je doet toch waar je zin in hebt.'

'Ik heb hem gewonnen met ballen gooien, omdat ik zo goed kon richten.'

'En hoeveel kostte dat dan?'

'Twee euro vijftig.'

Mama zucht. 'Kom, we gaan naar huis. Mark en Bert staan bij de botsauto's te wachten.'

Ze lopen naar de botsauto's. Daar staat Peggy.

'Kijk eens!' gilt Fien. 'Gewonnen met ballen gooien.' Ze houdt de wandelstok omhoog.

Peggy ziet een beetje bleek.

'Gaat het wel goed met je, Peggy?' vraagt mama.

Peggy schudt haar hoofd.

'Nee,' zegt Peggy's broer, 'ze moest bijna overgeven. Ik denk dat het door de Moonlift komt. Ik ga haar maar naar huis brengen.'

'Hier,' zegt hij tegen Bert, 'heb je twee muntjes voor de Octopus, ga jij maar met Fien.'

Fien kijkt mama aan.

Die zucht. 'Zul je je goed vasthouden aan de stang?'

'Ik wou dat het elke dag kermis was,' roept Fien blij als ze naar huis lopen. 'Hè, mam?'

# Oude kranten

'Ik word hier niet goed van, Fien,' zegt mama. Ze staan bij
de kassa en Fien houdt een barbiepop omhoog. ACTIE-
PRIJS staat erop. Het is Juwelen-Barbie. Die wil Fien al
heel lang hebben.

'Ik heb gezegd *nee*, en *nee* is *nee*. Leg die pop terug.
Kinderen...' zegt ze zuchtend tegen het kassameisje, 'soms
zou je ze wel achter het behang willen plakken.'

'Wanneer krijg ik dán een Juwelen-Barbie?' vraagt Fien
als ze weer buiten staan.

'Misschien kun je die aan Sinterklaas vragen.'

'Maar het is nog lang geen Sinterklaas!'

'Nee, gelukkig niet,' zegt mama. 'Dat duurt nog wel
even.'

Fien zit met Peggy op het stoepje achter de schuur. Ze
spelen met Ken en Peggy's Juwelen-Barbie. Fien tilt Ken
op.

'Kom,' zegt ze. 'We gaan spelen dat Barbie met Ken
trouwt.' Ze heeft de pop al uit Peggy's handen gerukt en
strijkt over het lange, glanzende haar.

'Geef terug!' gilt Peggy. 'Ik wil niet
dat Juwelen-Barbie met Ken trouwt.
Ik vind Ken stom.'

'Stil,' horen ze ineens Bert zeggen.
'Fien mag het niet merken, dan wil ze

13

zich er weer mee bemoeien.'

Fien en Peggy sluipen langs de schuur en loeren om het hoekje. Bert en Mark trekken de kar van Bert en Fien. De kar is overladen met oude kranten. Het zijn er zoveel dat de kar in de bocht kantelt en alle kranten eraf schuiven.

'Kijk uit!' schreeuwt Mark.

'Ssst,' zegt Bert.

Fien en Peggy giechelen. Fien stapt naar voren. 'Wat zijn jullie aan het doen?' vraagt ze.

'Oude kranten ophalen voor arme mensen in Afrika.' Dan kunnen ze een waterpomp kopen.' Mark heeft het al verraden.

'Mogen we meedoen?'

'Nee,' zegt Bert, 'dat is niets voor kleine meisjes.'

Fien steekt haar tong uit. 'Nou, dan gaan we zelf wel kranten ophalen, hè, Peggy?'

'We zouden toch trouwerijtje gaan spelen?' zegt Peggy.

'Nee,' zegt Fien, 'Ken heeft niet zo'n zin vandaag. Kom, wij gaan ook oude kranten ophalen en die gaan we ver-kopen en dan kan ik een Juwelen-Barbie kopen.'

'En ik dan?' vraagt Peggy.

'Jij mag een bruidsjurk kopen voor jouw Juwelen-Bar-bie.'

Ze duwen de poppenwagen van Fien naar buiten en gaan op weg. Maar overal waar ze aanbellen, zijn de kranten al opgehaald door Bert en Mark.

Even later zien ze de jongens aankomen met een volgeladen kar. Fien stoot Peggy aan. 'Niets zeggen,' fluistert ze.

'Zo, poppenmoedertjes,' roept Bert, 'zijn jullie de kindjes aan het uitlaten?'

Fien en Peggy steken hun neus omhoog en lopen door zonder iets te zeggen. De straat uit en de hoek om. En weer een hoek om. Ze hebben nog niet één krant.

'Ik weet niet of ik wel zo ver mag,' zegt Peggy.

'Laten we nog een klein stukje verderop gaan en dan terug.' Ze zijn nu in de straat met de supermarkt, waar de mama's af en toe boodschappen doen. Plotseling blijft Fien staan. Ze wijst.

'Zie je dat?' roept ze opgewonden. Een eindje verderop liggen keurige stapels kranten langs de muur. Ze rent ernaartoe terwijl ze de poppenwagen voor zich uit duwt.

'Er zit zelfs al een touwtje omheen. Handig!' zegt Fien. Ze sjouwen een stapel in de poppenwagen en even later komen ze met de eerste lading bij de schuur aan.

'Veel, hè?' roept Fien blij. 'We kunnen misschien ook wel nieuwe kleertjes kopen. Laten we gauw de rest gaan halen.'

De meisjes lopen ijverig heen en weer. De stapel kranten naast de schuur wordt steeds groter, en de stapel bij de supermarkt steeds kleiner.

Opeens horen Fien en Peggy iemand gillen: 'Daar zijn de dieven!'

Drie grote jongens met brommers en krantentassen komen op Bert en Mark af rijden. Even later staan ze dreigend voor hen.

'Wat moeten jullie met onze kranten?' roept de grootste en hij wijst naar de stapel tegen de muur en daarna naar de kar. 'Die kranten moeten wij bezorgen.'

'W-wij hebben jullie kranten niet,' stottert Bert met een rood hoofd. 'Deze hebben we opgehaald, dit zijn oude kranten. Voor een nieuwe waterpomp in Afrika.'

De grootste jongen kijkt in de kar en ziet dat Bert gelijk heeft. Dan ziet hij Fien en Peggy. In de poppenwagen ligt de laatste stapel kranten.

'Dus jullie zijn de dieven!' roepen de jongens. 'Dat zijn ónze kranten. Die moeten we nog bezorgen bij de mensen.'

Peggy gaat gauw een beetje opzij staan met haar armen over elkaar. 'Het was een idee van Fien,' zegt ze. 'Ik wilde helemaal niet.'

Fien kijkt haar boos aan, maar ze weet even niet wat ze moet zeggen.

De jongens nemen de kranten mee. Ze beloven Mark en Bert dat ze voortaan de kranten die overblijven voor hen zullen bewaren.

'Lekker puh!' zegt Bert tegen Fien.

'Ach, loop naar de waterpomp!' zegt Fien.

# Juwelen-Barbie, Ken en Actionman

'Kijk eens wat ik voor Juwelen-Barbie heb gekregen?'

Peggy zet haar koffertje op Fiens bed en doet het open. Ze haalt een witte bruidsjurk tevoorschijn. 'Kijk,' zegt ze, 'met echte witte schoentjes met hoge hakken, een sluier, een parelketting en een boeketje.'

'Mag ik even vasthouden?' vraagt Fien.

Peggy twijfelt. 'Als je er heel voorzichtig mee doet.'

'Zullen we spelen dat Juwelen-Barbie met Ken gaat trouwen? En dat ze dan op huwelijksreis gaan met elkaar?'

'Ja,' zegt Peggy, 'dat ze op reis gaan en dat Juwelen-Barbie dan een kus krijgt van Ken en dat ze daarna een baby'tje krijgt.'

Fien kijkt haar verbaasd aan.

'Voor baby's heb je een piemel nodig. Dat heeft mama mij verteld. Zonder piemel gaat het niet.'

Ze pakt Ken. 'Kijk maar.' Ze trekt de broek van Ken naar beneden.

Peggy tuurt.

'Zie je wel,' zegt Fien. 'Ken heeft geen piemel en dus kan Juwelen-Barbie geen baby van hem krijgen. Papa

17

heeft wel een piemel. En daarom zijn Bert en ik er geko-
men. Omdat papa en mama twee keer tegen elkaar aan
hebben gestaan. Dan kunnen we beter Actionman van
Bert nemen. Misschien heeft die wel een piemel.'

'Ik weet niet of Juwelen-Barbie wel met Actionman wil,'
zegt Peggy. 'Juwelen-Barbie houdt niet van geweld.'

Fien is al naar boven gelopen, naar de kamer van Bert.
Ze gluurt voorzichtig om de hoek van de deur. Bert vindt
het niet goed dat ze met Actionman speelt.

Bert is niet op zijn kamer. Fien pakt vlug Actionman van
de plank. Peggy heeft intussen Juwelen-Barbie de trouwjurk aangetrokken.

'Zo,' roept Fien, terwijl ze Actionman in de hoogte
houdt. 'Daar is de bruidegom.'

'Kunnen we niet net doen of Ken een piemel heeft?'
twijfelt Peggy. 'Juwelen-Barbie vindt de gevechtskleding
van Actionman stom en ze heeft helemaal geen zin in een
piemel. Dat hoeft niet zo nodig van Juwelen-Barbie.'

'We trekken hem wel een broek aan van Ken.'

Fien stroopt de broek van Actionman af.

'Hmmm,' zegt ze, 'laat maar zitten met die
trouwerij.'

'Hoezo?'

'Nou, kijk maar, ook Actionman kan
niet voor baby's zorgen...'

'Dus Actionman kan niet met Juwelen-
Barbie trouwen?'

'Nee,' antwoordt Fien spijtig.

'Gelukkig maar, dan gaat het
feest niet door.'

18

'Weet je,' Fien pakt Actionman en Ken, 'dan gaan zij maar met elkaar trouwen.'

'Dat kan niet!' gilt Peggy.

'Welles!' roept Fien.

'Nietes!' roept Peggy.

'Oom Ger is toevallig met oom Ben getrouwd. Ik ben er zelf bij geweest. Ze hebben ook een trouwring.'

'Ik geloof er niks van.'

Fien pakt een kaart. 'Kijk maar, ze houden allebei hun hand voor hun gezicht. Zie je wel dat ze een trouwring om hebben.'

'Ik ga naar huis,' zegt Peggy. 'Als er toch niemand met Juwelen-Barbie gaat trouwen, vind ik er niks aan.'

'Ze kan toch bruidsmeisje zijn? Of we kunnen Ken de bruidsjurk aantrekken.'

'Nee,' zegt Peggy, 'de trouwjurk gaat weer in de koffer, en Juwelen-Barbie ook, want ik ga naar huis.'

'Weet je wat jij doet? Ga jij maar lekker naar je mama!' gilt Fien.

# Piraten

Fien loopt door de Transvaalstraat. Ze belt aan bij Peggy.

'Zullen we met de barbies spelen?'

'Mag niet van mijn moeder,' zegt Peggy. 'Jij hebt een slechte invloed op mij en ik ga naar de camping.'

'Waarom mag het niet meer?'

'Mama zegt dat jij sessueel bent met die poppen.'

'Wat is dat, sessueel?'

Peggy haalt haar schouders op. 'Dat jij wilt dat Action-man met Juwelen-Barbie gaat trouwen omdat hij wel een piemel heeft en Ken niet. En dat ze toen allebei geen pie-mel hadden en met elkaar gingen trouwen. Mijn moeder wil het niet meer hebben.'

'Wie is daar?' hoort Fien de moeder van Peggy roepen.

Peggy zegt niets.

De moeder van Peggy komt naar de voordeur. De witte poedel wil tussen haar benen door naar buiten glippen.

'Hier, Felicity!' sist ze. 'Felicity, af! Hier!'

Fien pakt de hond op. 'Alstublieft,' zegt ze.

'Peggy kan niet komen spelen,' zegt Peggy's moeder. 'We gaan naar de camping en ik wil dat gedoe met die poppen niet meer hebben.' Ze steekt een sigaret aan. 'Als dat maar duidelijk is.'

'Nou,' zegt Fien en ze loopt weg, 'dan ga ik maar. Veel plezier op de camping. Ik hoop dat jullie niet onder de bulten terugkomen. Papa zegt dat het daar stikt van de muggen.'

Fien hoort nog net de deur dicht slaan.

Even verderop zit een jongen op een paaltje. Hij heeft een bril en zijn ene oog is dichtgeplakt met pleisters.

Fien gaat naast hem zitten. 'Hoi piraat.'

De jongen kijkt haar aan en wijst naar de pleisters. 'Ik heb een lui oog.'

'Ik kan ook scheel kijken,' zegt Fien. Ze laat het de jongen zien. 'Nou zie ik twee piraten.'

'Ik kijk helemaal niet scheel.'

De jongen slist een beetje.

'Ik ben Fien. Hoe heet jij?'

'Sjoerd.'

'Ik heet eigenlijk Fiona, zo heet mijn oma ook.'

'Fien klinkt veel beter,' zegt Sjoerd.

'Woon jij hier in de buurt?'

Sjoerd wijst naar de Transvaalstraat. 'Sinds een week.'

'Ken je Peggy?'

Sjoerd schudt zijn hoofd.

'Die woont ook in de Transvaalstraat. Ik mag niet meer met haar Juwelen-Barbie spelen. Ze wil niet dat Juwelen-Barbie trouwt met Actionman van mijn broer Bert.'

'Waarom niet?'

'Ik zei dat ze niet met Ken kon trouwen, omdat Ken geen piemel heeft. Maar ze zegt dat Juwelen-Barbie geen zin heeft in Actionman. Ze wil niet dat ze trouwt met een pop met een piemel.'

21

'Maar Actionman heeft ook geen piemel.'

'Mijn papa heeft een piemel en Bert ook, dat heb ik zelf gezien. Als je trouwt, heb je een piemel nodig, anders kun je geen baby's krijgen. Papa en mama zijn ook twee keer tegen elkaar aan gaan staan.'

'Ik heb ook een piemel,' zegt Sjoerd.

'Gelukkig maar,' zegt Fien. 'Ik weet een echt piraten-schip.'

'O ja? Waar ligt dat dan?'

'Zeg ik niet, dat is geheim. Je moet eerst laten zien dat je een echte piraat bent. Als je geslaagd bent voor de piraten-test, mag je de boot zien.'

'Ik kan heel ver spugen,' zegt Sjoerd.

Hij gaat staan en doet zijn hoofd naar achteren. Hij ver-zamelt eerst en dan komt er een grote boog uit zijn mond.

'Durf jij je tong naar die mevrouw uit te steken?' Fien wijst.

'Als jij het ook doet.'

Ze steken allebei tegelijk hun tong uit. De mevrouw kijkt boos.

'En?' vraagt Sjoerd. 'Ben ik nou geslaagd voor de piratentest?'

'Je moet nog iets kunnen wat heel moeilijk is. Kijk.' Fien doet haar ene kaplaars uit. 'Ik kan met mijn tenen knippen, net zoals je met je vingers kunt knip-pen.' Fien laat het zien.

'Ik kan een konijn nadoen.' Sjoerd laat zijn neus op en neer bewegen.

De man van de tijdschriften-winkel komt boos naar buiten.

22

'Willen jullie even opdonderen! De mensen hier een beetje voor aap zetten. Hup, ga maar verderop klieren.'

Ze slenteren naar de hoek van de straat.

'Ben ik nou geslaagd?' vraagt Sjoerd. 'Gaan we nu naar dat schip?'

'Piraten laten zich niet wegjagen,' zegt Fien. 'We moeten de tijdschriftenman de vreselijke wraak van de piraat laten zien. We moeten hem leren dat we echt piratenbloed hebben. Kom, we gaan nog even terug.'

'En dan?'

'Dan roepen we heel hard: Dag vervelende meneer de koekenpeer.'

'Durf je dat?' vraagt Sjoerd. 'Als hij ons pakt...'

'Echte piraten laten zich niet pakken. Kom.' Fien trekt Sjoerd mee naar de winkel. Ze kijken om het hoekje van de deur.

'Een, twee, drie,' telt ze zachtjes.

'Dag vervelende meneer de koekenpeer!' roepen ze en meteen rennen ze weg. Ze duiken een smalle steeg in.

'En?' vraagt Sjoerd. 'Komt hij achter ons aan?'

Fien kijkt voorzichtig om het hoekje. 'De kust is veilig.'

'Gaan we dan nu naar je boot?'

'Ben je bang voor brandnetels?'

'Ik heb een lange broek aan.'

'Kom,' zegt Fien, 'je bent geslaagd.'

Ze lopen de straat uit. Daar is een schoolgebouw. Ze moeten tussen de spijlen van het hek door. Het lukt net.

'Waar is die boot nou?'

'Ssst, we moeten de schurk niet laten we horen dat we er zijn.'

'Schurk?' Sjoerd rilt. 'Daar heb je niks van gezegd.'

Fien wenkt. 'Kom!'

Ze sluipen langs het schoolgebouw en gaan naar de achterkant. Tussen de hoge brandnetels en het hoge gras staat een roestige boot.

'Zie je wel,' zegt Fien. 'Wat heb ik gezegd, een echt piratenschip.'

Ze klimmen in de boot.

'We moeten wel zachtjes zijn voor de schurk, hoor.'

'Waar is die dan?'

Fien wijst naar de houten schuurtjes aan de overkant van de sloot. Oude buizen, verroeste wasmachines, planken en golfplaten liggen opgestapeld. Er staat ook een oude auto zonder wielen, waar allemaal gras doorheen groeit.

'Kijk,' zegt Fien, 'het monster van de schurk is er ook.'
Voor de auto ligt een grote, zwarte, harige hond.

'Het is vast een hondsdolle hond,' fluistert Fien. 'Als hij je te pakken krijgt, laat hij je niet meer los. De schurk heeft hem om de schat te bewaren. Die bewaakt hij daar met een groot mes. Als we ernaartoe willen, moeten we langs het monster.'

'Durf jij daarnaartoe te gaan?' vraagt Sjoerd, terwijl hij over de rand van de boot kijkt.

'Ja hoor, natuurlijk, we zijn toch piraten? We zijn toch nergens bang voor?'

'Ga jij dan eerst?' vraagt Sjoerd.

Fien denkt even na. 'Zullen we het een andere keer doen? We zijn nu toch piraten onder elkaar.'

'Hoezo?' vraagt Sjoerd.

'Nou,' zegt Fien, 'echte piraten weten dat ze nergens bang voor zijn. Dat hoeven ze niet meer te bewijzen.'

'Dus we gaan niet naar de overkant naar het monster en de schurk met zijn mes?'

'Nee hoor,' zegt Fien. 'Dat had ik nog niet verteld, maar die schurk is eigenlijk ook een piraat en die bewaakt samen met het monster de schat voor ons. Kom maar, dan gaan we naar huis. Wel zachtjes doen, hoor, anders denkt hij dat we indringers zijn en dan gaat hij zoeken met het monster. En we willen niet dat de schat onbewaakt blijft, hè, Sjoerd?'

'Nee,' zegt Sjoerd, 'tuurlijk niet.'

# Palmpasen

'Wat moeten die opoes nou met al dat snoep? Ze hebben toch geen tanden meer.'

Fien zit in de klas op de grond, samen met Peggy. Ze hangen snoep aan hun stokken. Aan touwtjes bungelen de spekjes, dropjes, zuurtjes, lolly's en zuurstokken. Morgen is het palmpasen. Fien en Bert gaan met school in een optocht lopen. Met palmpasenstokken. En na afloop zullen ze de palmpasenstokken naar de oude mensen in het bejaardenhuis brengen.

Fien zet de stok rechtop.

Boven op de stok moet een haantje van brood komen. Fien moet een stoel pakken om erbij te kunnen. Voorzichtig prikt ze het haantje erop.

Juf komt erbij staan. 'Heel mooi,' zegt ze. 'Nu moet er nog een kaartje aan hangen, met je naam erop.' Ze helpt Fien met het schrijven van het kaartje en hangt het met een draadje aan de stok.

'Zo is het wel klaar,' zegt juf. 'Zet de stok maar tegen de muur. En denk erom: niet van snoepen, hoor. De stok is voor de bejaarden.'

Fien kijkt even naar haar stok. Best wel jammer van al dat snoep, denkt ze.

Bert steekt zijn hoofd om de deur.

'Waar is jouw stok?' vraagt hij.

Fien wijst.

'Mooi,' zegt Bert. Hij haalt zijn stok op en zet hem erbij. Ook de andere stokken staan tegen de muur. Het ziet er heel vrolijk uit.

'Jammer hè, van al dat snoep,' zegt Bert.

'Het is voor de bejaarden,' zegt Fien. 'Stom hè?'

'Ja,' zegt Bert, 'die spekkies blijven toch maar aan die kale bekkies plakken.'

'Kijk, Bert.' Fien doet haar lippen over haar tanden. 'Helemaal geen tanden meer.'

'Jongens!' roept juf en ze klapt in haar handen. 'Morgen zijn jullie om negen uur precies hier en dan lopen we naar het bejaardenhuis. Dus zorg dat je op tijd bent. Tot morgen!'

Fien moet nog een keer naar haar stok kijken. Een spekje zou best wel lekker zijn...

Het is negen uur. Ze staan allemaal op het schoolplein, behalve Fien en Bert. Zij zijn te laat. Juf ziet ze aan komen rennen en zucht even.

'Pak snel jullie stokken,' zegt ze dan.

Ze moeten een lange rij maken. Juf staat helemaal vooraan en Fien en Bert sluiten de rij. Dan gaan ze lopen. Eerst het schoolplein af en daarna de hoek van de straat om.

'Bert...' Fien stoot haar broer aan. 'Zullen

we een spekje nemen? Niemand die het merkt.'

Bert schudt zijn hoofd.

Honderd meter lang kan Fien zich inhouden. Maar dan...

'Echt maar eentje,' fluistert Fien.

Bert twijfelt. 'Goed, eentje dan. Maar niet meer, hoor!'

Gauw stoppen ze allebei een spekje in hun mond. Fien kijkt om zich heen. Niemand heeft het gezien.

Ze zingen met zijn allen een liedje over Palmpasen.

'Bert...' Fien wijst. 'Ik heb best wel zin in een dropsleutel.'

Bert kijkt haar even aan. Dan rukt hij gauw de dropsleutel van zijn stok. Fien rukt de hare er ook af. Snel kauwen ze hun dropsleutel op.

'Bert...' zegt Fien bij de laatste slik. 'Nou hangt er nog maar aan één kant een spekje. Dat kunnen we maar beter ook opeten, anders valt het zo op.'

Bert knikt. Ze eten snel het laatste spekje op. En een zuurstok en een lolly. Hun stokken worden leger en leger. Er bungelen alleen nog maar wat zuurtjes aan.

Fien en Bert kijken elkaar even aan. Bert kijkt een beetje benauwd. Straks komen ze bij het bejaardenhuis met hun bijna lege stok, en wat zal juf dan wel zeggen?

Fien begint zich nu toch een beetje zorgen te maken.

'Wat moeten we nou doen? Onze stokken zijn bijna leeg.'

Bert weet het niet. 'Als jij niet met eten was begonnen, hadden we nog een volle stok gehad,' zegt hij boos.

'Als ik nou tegen juf zeg dat ik me niet zo lekker voel? En dat jij me naar huis moet brengen?'

28

Voordat Bert iets kan zeggen, loopt Fien naar voren. Ze veegt haar vuurrode zuurstoklippen af aan de rand van haar mouw. 'Juf!' roept ze.

Juf draait zich om. 'Wat is er?'

Fien houdt haar armen voor haar buik. 'Ik voel me niet lekker, juf.'

'Hè,' zegt juf. 'Uitgerekend nu.'

'Ik heb zo'n buikpijn, juf. Ik wil naar huis.'

'Ja maar...' Juf doet haar armen omhoog.

'Mag Bert me brengen?'

Juf aarzelt.

'Ik word een beetje misselijk,' zegt Fien snel.

Juf denkt na. De stoet kinderen loopt ondertussen verder.

'Ja, dat moet dan maar,' zegt juf. 'En jullie stokken dan?'

'Die geven we aan onze opa en oma,' zegt Fien. 'Dat zijn ook bejaarden.'

Juf haalt haar schouders op. 'Doen jullie voorzichtig?' vraagt ze nog. Dan loopt ze gauw naar voren.

Fien en Bert lopen naar huis. Ze proppen de laatste zuurtjes in hun mond.

Bert wijst naar het haantje van brood.

'Wat doen we daarmee?'

'Dat is voor de eendjes,' zegt Fien. 'Voor de bejaarde eendjes.'

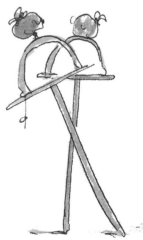

# Paling met voetjes

'Hoi,' roept Fien.
  'Hoi,' zegt Sjoerd.
  'Wat doe je met die buis?'
  'Daar kun je pijltjes of bessen mee schieten.'
  'Mag ik ook een keer?'
  Sjoerd twijfelt.
  'Toe,' dringt Fien aan, 'één keertje maar.'
  Hij geeft de buis aan Fien. 'Hier dan. Heb je besjes?'
  Sjoerd geeft een paar besjes en stopt er een in de buis.
  'En nou?' vraagt Fien.
  'Heel hard blazen,' zegt Sjoerd.
  Fien zet de buis aan haar mond en blaast heel erg hard.
  Er gebeurt helemaal niets.
  'D'r komt niets uit. Geef mij eens.' Sjoerd probeert ook
te blazen.

Hij trekt een vies gezicht. 'Je
hebt er in zitten spugen. Ik krijg al
je spuug naar binnen.'
  'Ik moest toch hard blazen.'
  'Ja, maar je moet droog blazen. Anders mag je niet
meer.' Hij stampt met de buis op de grond. De bes
valt er-uit. 'Ik denk dat-ie te groot was.' Fien probeert het nog een keer met een kleinere bes. Ze
houdt hem aan haar mond en steekt de buis
omhoog.

'Getver...' Ze spuugt op de grond. 'De bes rolde in mijn mond.'

'Nou nog één keer maar, hoor,' waarschuwt Sjoerd. 'Je moet de buis recht vooruit houden.'

Ze stopt er een besje in en houdt de buis recht vooruit.

Ze blaast heel hard en... Pets! De bes maakt een hard geluid tegen de ruit van de tijdschriftenwinkel.

'O jee,' roept Fien.

De tijdschriftenman komt naar buiten. Zijn gezicht staat boos als hij hen ziet.

'Rennen, Sjoerd, rennen!' gilt Fien. Ze gaan de hoek om en duiken in de steeg.

'Kom!' Fien duwt Sjoerd een hekje door. 'We gaan even schuilen bij de palingmevrouw...'

'Palingmevrouw?'

'Ja, de palingmeneer vangt paling en die stopt hij in die bak daar. En die wordt dan door een visauto opgehaald. Kom, de palingmevrouw is heel lief, ze zit altijd bij het raam. Ze heeft ook lekkere snoepjes in een klein trommeltje. Je moet alleen niet naar de deken kijken, hoor.'

'Waarom niet?'

'Ssst,' zegt Fien, 'ze heeft geen benen meer.'

Sjoerd rilt. 'Waarom niet?'

'Omdat ze het niet meer deden en toen hebben ze de benen erafgehaald.'

Sjoerd blijft staan.

'Kom nou, je ziet er echt niets van. Je moet net doen of je niks ziet.'

Fien doet de deur open. 'Joehoe, ik ben het, Fien.'

'Och liefje, kom binnen,' horen ze als ze in de keuken staan.

Ze lopen naar de kamer.

'Heb je je vriendje meegenomen?'

'Ja,' zegt Fien, 'hij heet Sjoerd. Hij heeft een oog dat het niet doet.'

'Hij doet het wel, hoor,' roept Sjoerd. 'Mijn oog gaat er helemaal niet uit. Ik heb een lui oog.'

'Heb je een nieuwe kar?' wijst Fien.

'Ja. Komen jullie gezellig bij me bij het raam zitten?'

Fien bukt en kijkt voorzichtig over de rand van de vensterbank.

'Is er iets?' vraagt de palingmevrouw.

'We zijn piraten en we werden achterna gezeten door een hele grote piraat. Hij dacht dat we de schat wilden pakken, vandaar.'

Sjoerd kijkt haar met grote ogen aan, maar Fien doet net of ze het niet ziet.

'Hij woont achter de piratenboot.' Ze wijst naar de school.

'Mag je wel zo ver van je moeder?'

Fien knikt. 'Mama zegt dat ik heel zelfstandig ben.'

De palingmevrouw kijkt door het spiegeltje dat buiten aan het raamkozijn vastzit.

'Ik zie geen grote piraat, hoor, jullie kunnen gerust komen zitten. Jullie lusten vast wel een snoepje.'

Fien en Sjoerd knikken.

'Hier,' zegt de palingmevrouw, 'een voor in je mond en een voor onderweg.'

'Ja,' zegt Fien, 'op één been kun je niet lopen. Zullen we jou straks gaan duwen in je nieuwe kar?'

'Dat is heel lief van je, maar ik hoef niet meer geduwd te worden. Kijk, er zit een motor op de kar.'

'Mag ik dan op de drukasbak duwen?' vraagt Fien. 'Kijk,' zegt ze tegen Sjoerd, 'als je erop drukt, is het net een vliegende schotel die naar Mars gaat.'

Sjoerd drukt er ook op.

'Nou,' zegt Fien, 'ik vind je kar heel mooi, hoor. We gaan weer. Ik geloof dat de piraat weg is.'

De palingmevrouw kijkt ook nog even in het spiegeltje.

'Ja,' lacht ze, 'er is geen piraat meer op straat.'

'Mag ik Sjoerd nog even de vissen laten zien?'

'Ja hoor, en zou je dan die kleine paling in het emmertje weer even in de sloot willen gooien, want die is ondermaats.'

'Wat is dat?' vraagt Sjoerd.

'Dat je hem niet mag vangen omdat hij te klein is.'

'Dag,' zegt Fien, 'ik kom gauw weer.'

'Dag liefjes,' zegt de palingmevrouw.

'Kijk,' zegt Fien. Ze staan op een kist voor de ijzeren bak. In de bak kronkelen palingen.

'Pas maar op,' zegt Fien. 'Straks pakt de reuzenpaling je, die woont onder in de ijzeren bak.' Sjoerd doet een stapje naar achteren.

'Kom, we gaan.' Ze pakt het emmertje met de kleine paling.

'Zullen we het samen dragen?'

Sjoerd wijst. 'We lopen verkeerd, daar is de sloot.'

'Dat weet ik, maar ik wou vandaag niet langs de tijdschriftenwinkel.'

Ze lopen verder.

'Even rusten, hoor,' zegt Sjoerd, 'die emmer is best wel zwaar.'

'We gieten er wat water uit,' beslist Fien.

De emmer schiet uit en de paling kronkelt op de stoep.

'Durf jij hem op te pakken?'

'Best wel,' zegt Sjoerd, 'en jij?'

'Ook wel.'

'Jij mag het doen, hoor,' zegt Fien. 'Ik heb het al vaak genoeg gedaan.'

Sjoerd pakt de paling. Hij is heel glibberig, Sjoerd krijgt hem maar net in de emmer...

Hij droogt zijn handen aan zijn broek. Zo, en nu naar de sloot.

'Ik denk dat ik hem nog even mee naar huis neem. Hij moet eerst even bijkomen van de schrik.'

Ze staan bij de voordeur van Fien.

'Dag, piraat, ik zie je morgen weer.'

Ze zet de emmer met de paling naast haar bed.

'Kijk eens wat ik heb,' zegt ze tegen Bert als ze 's avonds gaat slapen.

Bert tuurt over de rand van de emmer.

'Kijk maar uit, palingen kunnen
in de avond ook uit de sloot kruipen
en dan naar een andere sloot kronkelen,
net alsof ze voetjes hebben.'

'Ik geloof er niets van.'

Bert loopt naar zijn kamer. 'Nou, je
zal het vanzelf wel merken als-ie vanavond onder je dekbed komt kronkelen.'

Het lukt Fien maar niet in slaap te komen. Ze gaat van
haar ene zij op haar andere zij liggen. Ze draait haar kus-
sen een paar keer om. Ze heeft de kerkklok al een paar
keer horen luiden. In de verte klinkt het geluid van een
trein.

Ze glijdt haar bed uit en doet de deur van het balkon
open. Ze zet de emmer buiten.

'Zo, dan kun je vast aan de buitenlucht wennen als je
morgen weer in de sloot bent.'

Fien gaat weer liggen.

Brrr, denkt ze. Best wel koud. Snel doet ze de balkon-
deur dicht en duikt lekker weer onder het warme dekbed.

# Vervelen

Fien loopt naar de zandbak. Daar is Sjoerd.

'Kijk eens.' Sjoerd wijst naar zijn oog. 'De pleister is eraf, mijn oog doet het weer.'

'Laat eens zien.' Fien gaat pal voor Sjoerd staan. 'Ja,' zegt ze, 'je ogen staan allebei recht. Kun je nou ook scheel kijken, dat je naar de punt van je neus kijkt en dan alles dubbel ziet?'

'Ik doe het liever niet. Misschien dat mijn ene oog dan weer blijft hangen.'

'Doe maar niet,' zegt Fien. Straks heb je twee luie ogen en dan moet je met twee pleisters lopen.'

Sjoerd moet lachen. 'Dan zie ik helemaal niks meer.'

'Wat ga je doen?'

Sjoerd haalt zijn schouders op.

'Zullen we in de zandbak gaan zitten en doen alsof het de woestijn is? En dat het heel warm is en er geen water is en dat jij dan bijna doodgaat? Maar dat ik jou red omdat ik met een trui zwaai naar de vliegtuigen als jij al bewusteloos bent?'

'Ik mag van mijn moeder niet meer in de zandbak. Ze

36

zegt dat ik dan weer wormen krijg van de hondendrollen.'

Fien rilt. 'O ja, en dan moet je ook zo'n vies drankje slik-ken. Zullen we steentjes gooien in de sloot en dat de steentjes dan over het water dansen?'

Ze gaan aan de slootkant zitten.

Ze mikken de steentjes, maar die maken elke keer alleen maar één plons.

'Zullen we iets anders gaan doen?'

'We kunnen naar het piratenschip gaan en kijken of de piraat met het monster er is.'

'Ik heb geen lange broek aan en er zijn overal brandne-tels.'

Ze horen een plons achter zich, ze zien allemaal lucht-bellen.

'Vast een vis,' zegt Sjoerd.

Of een reuzenpaling die lekker aan jouw blote benen wil sabbelen,' lacht Fien.

Sjoerd schuift snel wat naar achteren.

'Wat zullen we nou gaan doen?' vraagt Fien. 'Zullen we gaan winkelruitwinkelen? We doen alsof we een heleboel

geld hebben en dan kiezen we wat we willen kopen.'

'Ik wil alleen maar een truck,' zegt Sjoerd.

'Ach, mama zegt dat geld toch niet gelukkig maakt,' zegt Fien, 'en ik hoef eigenlijk ook alleen maar een Juwelen-Barbie.'

'Wat zullen we nou gaan doen?'

'We kunnen bij de palingmevrouw langsgaan. Die weet vast wel iets te doen voor ons en dan krijgen we lekkere snoepjes uit het trommeltje.'

Fien klopt op het raam. De palingmevrouw zwaait en wenkt of ze binnen komen.

'Hallo liefjes,' zegt ze dan, 'wat gezellig dat jullie op bezoek komen. Ik zat me een beetje te vervelen. Ik had nergens zin in vandaag.'

'Wij vervelen ons ook.' Fien gaat zitten. 'We weten niet wat we moeten doen.'

'Zullen we een spelletje doen?' zegt de palingmevrouw.

'Wat voor spelletje?' vraagt Sjoerd.

'Laten we verstoppertje doen.'

'Hoe kan dat nou?' roept Fien. 'De kar is veel te groot om te verstoppen. Echt, we zouden je zo vinden.'

De palingmevrouw lacht. 'Nee, ik neem een voorwerp uit de kamer in mijn hoofd. Jullie moeten raden wat het is en dan zeg ik koud of warm.' Ze kijkt om zich heen. 'Ik weet iets.'

Fien kijkt ook om zich heen. 'Is het de drukasbak?'

'Koud. Nou jij, Sjoerd.'

'Is het... de televisie?'

'Lauw.'

'Ik weet het!' gilt Fien. 'De Italiaanse boot op de televisie?'

'Heet. Heel dicht in de buurt.'

'Het is,' zegt Sjoerd, 'de pop met de Spaanse jurk.'

'Helemaal goed. Jij hebt gewonnen. Nou mag jij iets in je hoofd verstoppen.'

Ze spelen de rest van de middag verstoppertje.

'Mogen de lampjes van de Italiaanse boot aan?' vraagt Fien.

'Ja hoor, stop de stekker maar in het stopcontact.'

'Heb jij ook wel eens op zo'n boot gevaren?'

De palingmevrouw knikt. 'Ik ben een keer met de bus naar Venetië geweest, in Italië.'

'Toen je nog je benen had?'

'Ja, en in Venetië rijden geen auto's. Daar doen ze alles met de boot.'

'Dus daar zou je ook geen karretje nodig hebben. Dan zou je overal naartoe kunnen varen. Zullen we nog even een stukje gaan rijden?'

'Ik ben een beetje moe van het verstoppertje spelen,' zegt de palingmevrouw. 'En moeten jullie niet eens naar huis? Het is al bijna vijf uur. Wat gaat de tijd snel, hè?'

'Ja,' zegt Fien, 'eerst verveelden we ons en toen niet meer en nou gaat alles snel.'

De palingmevrouw lacht. 'Ze zeggen dat je, als je je verveelt, tegen een blauw steentje moet plassen, dan is het zo weer over.'

'Mag ik even plassen?' vraagt Sjoerd. 'Ik moet heel nodig.'

'Niet tegen de tegels plassen, hoor!' roept Fien. 'In de pot. Bert plast er ook altijd naast.'

'Nou,' zegt Fien als Sjoerd weer in de kamer is, 'dan gaan we maar.'

'Zullen we dan de volgende keer rijden met de kar?' vraagt Sjoerd.

'Dat beloof ik.' De palingmevrouw glimlacht.

'Tot morgen.' Fien zwaait als Sjoerd rechtsaf de Trans-vaalstraat in loopt.

'En, Fien?' vraagt mama bij het eten. 'Wat heb jij vandaag allemaal gedaan?'

'Ik en Sjoerd hebben ons eerst verveeld maar toen hebben we tegen de blauwe stenen gepiest en toen was het meteen weer over.'

'Zozo, en waar heb je dat dan gedaan?'

'Bij de palingmevrouw, maar die is gewoon in haar karretje blijven zitten.'

# Zingen voor de burgemeester

Alle klassen staan op het schoolplein. Ze moeten oefenen voor het zingen op Koninginnedag. Vandaag is de laatste repetitie en morgen is het zover. Dan gaan ze naar het plein voor het stadhuis, om samen met de andere scholen te zingen voor de verjaardag van de koningin.

'Juf, hoe oud wordt de koningin dan?' vraagt Fien.

'Eigenlijk is de koningin niet jarig.'

'Waarom gaan we dan niet op haar verjaardag zingen?'

'Omdat het dan te koud is.'

'Maar juf, we gaan toch ook niet zingen als u al lang jarig geweest bent?'

'Nee,' zegt juf, 'maar ik ben ook niet de koningin.'

'Wie mag er bloemen aan de koningin geven, juf?'

'De koningin komt niet, Fien, maar de burgemeester is er wel.'

'Is de burgemeester ook jarig dan, juf?'

'Fien, ik zou het echt niet weten.'

'Maar waarom gaan we dan zingen als de koningin niet

jarig is, als ze niet eens komt kijken en de burgemeester ook niet jarig is?'

'Omdat de burgemeester namens de koningin komt luisteren. Dan is de koningin er toch een beetje bij.'

Juf klapt in haar handen. 'Allemaal lopen en dicht bij elkaar blijven.'

De lange sliert komt in beweging en even later komen ze bij een groot wit gebouw op een groene grasheuvel. Daar komen ook de andere scholen naartoe, om voor de laatste keer te oefenen.

'Hoi!' Fien zwaait naar Sjoerd, die met zijn school aan komt lopen. 'Kijk, Bert, daar is Sjoerd. Zeg, heb je ook gehoord dat de koningin helemaal niet komt?'

'Ja,' zegt Bert, 'dat wist ik al lang en dat is maar beter ook. Dan hoeft ze niet naar dat valse gejank van jou te luisteren.'

'Toevallig,' zegt Fien, 'toevallig...'

'Nou, wat toevallig?'

'Heb jij je sleutel wel bij je?' Fien houdt haar sleutelkoord omhoog.

Bert voelt in zijn broekzakken. Ze zijn leeg.

Tevreden stopt Fien het touwtje met de sleutel weer onder haar T-shirt.

Als het zingen voorbij is, mogen ze naar huis. Fien loopt met Sjoerd. Ze nemen grote stappen en moeten elke keer een tegel overslaan. Als ze missen, krijgen ze een strafpunt.

'Ga je nog mee naar de palingmevrouw?'

'Nee, ik kan niet,' zegt Sjoerd, 'ik ga naar de tandarts.'

'Brrr.'

Fien loopt naar het huis van de palingmevrouw. Die heeft haar beloofd dat ze met Fien gaat rijden met de nieuwe elektrische kar.

'Mag ik dan achterop?' heeft ze de vorige keer gevraagd.

'Ik weet niet of de kar het houdt.'

Fien maakt eerst een krans van madeliefjes en boterbloemen omdat de palingmevrouw zo graag kijkt naar de bloemen langs de sloot. Precies als ze aan komt lopen, ziet ze in de verte een ziekenauto. Er wordt een bed in geduwd.

Fien rent ernaartoe. De auto staat voor het huis van de palingmevrouw. Als ze bij het huis komt, rijdt de ziekenauto net weg.

Er staan wat buurvrouwen op straat.

'Is de palingmevrouw ziek?' vraagt Fien.

De buurvrouwen knikken. 'Heel erg ziek.'

'Ik heb een krans van bloemen voor haar gemaakt en we zouden gaan rijden met haar elektrische kar.'

'Ik denk niet dat ze ooit nog zal rijden,' zegt een van de vrouwen. De anderen knikken bezorgd.

Fien loopt langzaam naar huis. Op de stoep bij de voordeur zit Bert.

'De palingmevrouw is naar het ziekenhuis.'

'Heb je gehuild?' vraagt Bert. 'Je hebt tranen op je wangen.'

Fien wijst naar de krans. 'Nee hoor, dat komt door de zaadjes van de bloemetjes.'

De volgende dag is het Koninginnedag. Fien loopt met Bert naar school. 'Heb jij zin?' vraagt ze.

Bert schudt zijn hoofd. 'Maar we krijgen wel een reep chocola.'

Ze moeten zich verzamelen bij een andere school. Vlak bij de school is het ziekenhuis. Fien kijkt omhoog.

'Kijk, daar ligt de palingmevrouw ergens. Bert, zullen we heel even kijken hoe het met haar is?'

Ze pakt het verdroogde kransje uit haar zak. 'Dan kan ik haar de madeliefjes brengen.'

Bert twijfelt. 'Straks komen we te laat.'

'Ik geef alleen maar de bloemetjes aan de zuster en dan gaan we weer verder.'

Voordat Bert iets kan doen, rent Fien al naar de hoofdingang. Hij zucht en loopt achter haar aan.

Fien staat bij de balie. De zuster vraagt voor wie ze komen.

'Ik kom bloemen brengen voor de palingmevrouw.'

'Weet je ook op welke afdeling ze ligt?'

Fien schudt haar hoofd.

'Wat is de achternaam van de palingmevrouw?'

'Mevrouw Sapij,' zegt Bert.

'Ze is gisteren gebracht,' roept Fien. 'Ze heeft geen benen meer.'

De zuster kijkt op het beeldscherm. Ze pakt de telefoon. 'Gaan jullie daar maar even zitten.'

Er loopt een man voorbij met een rekje. Er hangt een flesje aan. Fien durft er niet zo goed naar te kijken. Ze tuurt naar het plafond.

Een verpleegster komt naar ze toe. 'Jullie komen voor mevrouw Sapij?'

'Ja,' zegt Fien, 'we zouden gisteren met de elektrische kar gaan rijden en ik heb bloemetjes voor haar gevlochten.' Ze houdt het kransje omhoog.

44

De zuster gaat naast haar zitten. 'Ik ben bang dat het niet gaat. Mevrouw Sapij was heel erg ziek en nou is ze niet meer wakker geworden vanmorgen.'

'Wordt ze nooit meer wakker?'

De zuster schudt haar hoofd. 'Ze heeft het vast goed waar ze nu is.'

'Denkt u dat ze haar benen ook weer terug heeft gekregen?'

'Vast,' zegt de zuster.

'Wat moet ik nou met mijn krans? Ze vond die bloemen altijd zo mooi.'

De zuster pakt ze aan. 'Zal ik ze bij haar neerleggen? En zullen jullie voorzichtig doen als jullie naar huis lopen?'

'Kom,' zegt Bert als ze weer buiten staan. Met zijn mouw veegt hij de tranen van Fiens wangen. 'Heb je weer last van de zaadjes?'

'Ik ga niet meer zingen, hoor,' zegt Fien zachtjes. 'De koningin zal ons niet missen, ze is er niet eens. Zullen we lekker met onze eigen kar gaan rijden?'

'Vooruit dan,' zegt Bert.

'Mag ik dan sturen?'

'Goed, omdat het Koninginnedag is.'


'Zo,' zegt de juf de volgende dag. 'Omdat jullie allemaal zo mooi hebben gezongen gisteren is er voor iedereen een reep chocola. Voor iedereen die erbij was.' Ze kijkt Fien aan.

'Ik was er wel, hoor, juf.'

'Ik heb je anders niet gezien.'

'Sjoerd heeft namens mij gezongen,' zegt Fien. 'Zo was ik er toch een beetje bij, net als de koningin.'

# Friet met slagroom

Fien en Bert zitten op het hekje voor de tijdschriftenwinkel. Daar loopt Peggy met haar moeder en de witte poedel. Peggy heeft een witte muts op en ze draagt witte laarsjes en een blauw jurkje.

De moeder van Peggy heeft een sigaret in haar mond. Ze houdt een ijzeren staaf met een witte bol vast.

Als haar moeder binnen sigaretten gaat kopen, blijft Peggy buiten wachten.

'Hoi,' zegt Fien, 'wat ga je doen?'

'We hebben generale repetitie van de majorettes. Voor de avondvierdaagse. Ik mag voorop lopen en ik krijg straks een lekkere zak met friet. Ga jij ook meedoen met de avondvierdaagse?'

'Ja,' zegt Fien, 'maar wij lopen veel liever achteraan, hè Bert?'

'Ja,' zegt Bert, 'voorop is helemaal niet leuk.'

'Hoe vind je mijn muts?'

'Je lijkt wel een poedel.'

De tijdschriftenman komt samen met de moeder van Peggy naar buiten. Hij wijst naar Fien. 'Misschien dat jullie ergens anders kunnen rondhangen.'

'Poe,' zegt Fien, 'de straat is ook van ons, hoor.'

'Hup!' zegt de man. 'Zoek maar een andere plek.'

46

Peggy steekt haar tong naar hen uit.

'Poedel!' gillen Bert en Fien tegelijk.

Peggy wordt meegetrokken door haar moeder.

'Het is net of ze Felicity op haar hoofd heeft gezet,' zegt Bert.

'Ja,' zegt Fien, 'alsof ze een dooie hond op haar kop heeft.' Ze moeten lachen.

'Nou,' zegt de tijdschriftenman, 'komt er nog wat van?'

Fien en Bert slenteren weg. Fien draait zich nog even om. 'Uw winkel stinkt,' zegt ze.

'Ja,' roept Bert, 'u heeft een vieze stinkwinkel. Die rook is heel slecht en daarom gaan we weg.'

Ze lopen de straat uit.

'Hé Bert,' zegt Fien, 'ik heb ook wel zin in een zak met friet.'

'Mmm, lekker. Heb jij geld dan?'

'Ik heb maar tien cent.'

'Nou, dan kunnen we moeilijk friet kopen.'

Opeens zijn ze zomaar bij de snackbar. De frietgeur walmt ze tegemoet. 'Laten we maar snel doorlopen,' zegt Bert, 'we kunnen toch niks kopen.'

Fien blijft voor de winkel staan. 'Ik weet wat. Als we nou aan voorbijgangers zeggen dat we friet mochten kopen, maar dat we van onze moeder net tien cent te weinig hebben meegekregen. Als we zo nou een paar keer tien cent vragen, kunnen we zo een zak friet kopen.'

'Dat is bedelen,' zegt Bert.

47

'Nee hoor,' zegt Fien, 'bedelen is als je geen geld hebt. Wij hebben wel geld, alleen hebben we het niet bij ons omdat het in de spaarpot zit.'

'Maar we kunnen toch naar huis om met een mes geld uit de spaarpotten te halen?'

Fien schudt haar hoofd. 'Dat is voor Juwelen-Barbie. Wacht maar.' Ze loopt naar een man.

'Meneer, we mochten van mijn moeder een zak friet kopen, maar nou heeft ze ons elk tien cent te weinig gegeven.'

De man voelt even in zijn zak. 'Hier,' zegt hij.

'Kijk eens!' gilt Fien als de man weg is. 'Kijk eens hoe gemakkelijk het gaat. Ik heb al twintig cent. Nou ben jij aan de beurt.'

'Ik weet het niet, hoor...'

'Dan krijg je ook geen friet.'

Bert kijkt om zich heen. Verderop loopt een vrouw. Ze duwt een kinderwagen met een tweeling. Een van de baby's laat een speen vallen. Bert loopt ernaartoe en raapt de speen op. 'Alstublieft, mevrouw. Mag ik u iets vragen? Onze moeder heeft ons twintig cent te weinig gegeven voor een frietje.'

De vrouw lacht. Ze geeft een euro. 'Hier, dan kun je met mayonaise nemen.'

Bert loopt naar Fien. Hij laat de euro zien.

'Zie je wel hoe makkelijk het gaat?' Fien rent alweer naar een andere voorbijganger.

'Hoeveel hebben we nou?' roept Bert, nadat ze een poosje om en om geld hebben gevraagd.

Ze tellen het geld op de stoep na. Het is genoeg voor een zak friet voor elk. Met mayonaise.

'Twee friet met,' zegt Bert in de snackbar en hij legt het geld op de toonbank.

Even later lopen ze naar buiten met hun zakken friet.

Ze gaan op het bruggetje zitten en eten de friet op.

'Mmm, lekker hè?' Fien veegt het zout en het vet van haar mond.

'We hebben zelfs nog geld over,' zegt Bert.

Ze lopen langs de bakker. Fien blijft voor de etalage kijken. Ze wijst naar de moorkoppen met slagroom.

'Bert, zullen we nog even wat geld vragen voor moorkoppen?'

'Ik weet het niet, hoor...'

Fien is alweer naar iemand toe gelopen.

'Ik heb meteen maar om vijftig cent gevraagd,' zegt ze terwijl ze Bert het muntje laat zien, 'dan gaat het wat sneller.'

Even later hebben ze ook genoeg voor elk een moorkop.

'Ik heb niet zo'n zin om te koken vanavond,' zegt mama als ze thuiskomt van de C1000. 'Ik moest de hele dag invallen bij het vakken vullen. Zullen we maar gewoon friet met een kroket halen?'

Papa bromt iets vanachter zijn *Voetbal International*. Mama pakt haar portemonnee en wil Fien en Bert geld geven. 'Hier,' zegt ze, 'als jullie nou eens even naar de snackbar lopen. Ik kan bijna niet meer op mijn voeten staan.'

Fien en Bert kijken elkaar aan. 'Ik kan ook bijna niet meer op mijn voeten staan,' zegt Fien.

'Nee, zegt Bert, 'wij hebben de hele dag al gelopen.'

'Voor de avondvierdaagse,' zegt Fien. 'We hebben alvast geoefend.'

Bert knikt.

'Ik heb eigenlijk helemaal geen zin in friet,' zegt Fien. 'Een boterham is ook wel lekker. Zullen Bert en ik samen brood smeren?'

'In dat geval stop ik het geld terug in de portemonnee. Het is eigenlijk wel goed voor mijn vetrolletjes. We boffen maar met zulke modelkinderen, hè Ron?' Ze schopt haar schoenen uit. 'Zou het aan hun opvoeding liggen?'

'Vast,' zegt papa.

Fien geeft Bert een schop tegen zijn been.

# Afsnijden

'Mogen we de snoephoeden nu al op? Dan hebben we onderweg wat te eten als we honger krijgen van al dat geloop,' vraagt Fien.

'Nee, Fien, eerst lopen en dan komt de beloning.'

Het is de laatste dag van de avondvierdaagse. Vanavond lopen de drumband en de majorettes mee. Ze beginnen in het park, dan lopen ze door de stad en dan terug naar het park. Daar staan familie en vrienden te wachten met bloe men en met snoep, veel snoep. Mama heeft twee hoeden gemaakt en daar allemaal lolly's, zuurtjes, dropveters en trekdrop aan vastgemaakt.

Het is druk in het park. Mensen in gele hesjes lopen zenuwachtig te telefoneren. Ze hebben de weg met hek-ken afgezet, dan kunnen er geen auto's in.

Fien en Bert zitten op de stoeprand. 'Daar heb je de poedel,' fluistert Bert. Hij wijst naar Peggy. Ze heeft haar majorettepakje aan. Haar haren zijn in pijpenkrullen gedraaid.

Peggy's moeder loopt met korte trippelpasjes naast haar dochter. 'Nou goed luisteren,' zegt ze tegen Peggy. 'Zorg dat je helemaal vooraan staat, dat iedereen je goed kan zien. Laat je mama eens zien dat ze trots op je kan zijn. En niet de staf uit je handen laten vallen. We hebben nou vaak genoeg geoefend.' Ze trekt zenuwachtig aan haar lange sigaret.

'En niet aan je haren zitten.' Ze pakt een spuitbus uit haar tas. 'Wacht, ik zal er even nog wat extra haarlak op spuiten, dan blijft het goed zitten.'

Ze blijven pal voor Fien en Bert staan. Dan spuit Peggy's moeder helemaal om Peggy's hoofd heen.

De haarlak komt in de neus van Bert; hij moet hard niezen.

De moeder van Peggy draait zich om. 'O, zijn jullie ook hier?'

'Ja,' zegt Fien, 'wij komen even een hoed vol snoep verdienen.'

'Als jullie maar uit de buurt van Peggy blijven.'

'Wij lopen helemaal achteraan, dan kunnen we nog langer aan de avondvierdaagse meedoen.'

Fien staat op. 'Het is helemaal niet erg hoor Peggy, als je de staf uit je handen laat vallen. Ik vraag wel of Bert een beetje in de buurt blijft, want die kan heel goed vangen.'

Peggy zegt niets terug. Ze wordt naar voren geduwd door haar moeder. 'Kom, we moeten even een goed plekje voor je uitzoeken. Ik praat wel even met de leidster. Ik heb niet al die moeite gedaan om jou ergens in het midden te zien lopen. En denk erom: als mama zegt dat jij de beste bent, dan ben je de beste. Heb je dat goed begrepen?'

Ze verdwijnen tussen de mensen.

Een man blaast op een fluitje. 'Allemaal opstellen!' roept hij, en naar Fien en Bert: 'Gaan jullie ook eens in de rij staan, we gaan zo beginnen.'

52

Fien en Bert slenteren naar het einde van de rij. De man staat alweer te bellen en zijn arm gaat heen en weer.

Fien en Bert lopen naar achteren.

'Wat duurt het lang, hè?' zucht Fien. Ze hupt van haar ene been op haar andere.

'Ja,' zegt Bert, 'ik ben al moe voordat we een stap hebben gezet.'

Fien wijst naar de stoeprand. 'Zullen we nog maar even gaan zitten?'

De man met het gele hesje is naar een vrouw met ook een geel hesje gelopen. Nu bellen ze allebei.

'Straks staan papa en mama de hele tijd voor niets te wachten. Zal ik eens even vragen wanneer het nou gaat beginnen?'

Dan klinkt er een fluitje. De stoet komt langzaam in beweging. De man wappert met zijn arm. 'Doorlopen!' roept hij.

'Eerst zitten we de hele tijd te wachten,' moppert Bert, 'en nou moeten we opeens opschieten.'

Ze zingen een lied. 'Een, twee, drie, vier, vijf, zes, zeven, acht, negen, tien, alweer een kilometer op de schoenen afgesleten!'

'Hé Bert,' klaagt Fien, 'het is wel raar. Eerst lopen we uit het park. Een heel eind. En daarna komen we weer in het park terug.'

Ze zingen weer een ander lied. 'Ik heb een potje met vet, op de tafel gezet, ik heb een potje, potje, potje, potje vè-hè-het al op de tafel gezet!'

'Hé Bert,' zegt Fien, 'als we nou toch een rondje lopen, dan kunnen we net zo goed hier afslaan. Dan komen we weer op de singel uit en dan kunnen we gewoon achter aansluiten, dan hoeven we niet dat hele stuk te lopen.'

Ze kijkt achterom. 'Hup!' roept ze. 'Er is niemand die het ziet.'

Ze pakt Berts arm en duwt hem de IJsselsteinstraat in. 'Een, twee, drie, vier, vijf, zes, zeven, acht, negen, tien,' telt Fien. 'Alweer een kilometer op de schoenen afgesleten.'

Ze lopen naar het eind van de straat. Achter een elektriciteitskastje blijven ze staan.

'Nou maar hopen dat niemand het merkt,' fluistert Bert.

Ze horen de trommels en even laten marcheert de drumband voorbij, met daarachter de majorettes.

'Ik zie Peggy helemaal niet,' zegt Bert. 'Staat ze zeker toch in het midden.'

Fien haalt haar schouders op. 'Dan kan ook niemand het zien als ze die staf laat vallen.'

Even later glippen ze weer in de optocht. Ze zingen weer een ander lied: 'Hand in hand, kameraden, hand in hand, voor Feijenoord 1! Geen woorden maar daden, leve Feijenoord 1!'

'Zeg Bert,' zegt Fien, 'zullen we zo meteen nog stukje afsnijden? Als ze de brug over het kanaal oversteken, dan moeten ze over de andere brug weer terug. We blijven op deze weg lopen, dat scheelt ook weer een stuk.'

Bert kijkt voorzichtig om zich heen. 'Nu!' roept hij. Ze duiken achter een blauwe bestelbus.

'Even wachten tot ze uit het zicht zijn.'

Ze lopen langzaam over de Singel naar de andere brug.

'Alweer een kilometer op de schoenen afgesleten!' zingen ze.

Ze gaan achter een rode auto zitten. Het duurt lang

54

voordat de optocht er weer aankomt.

'Je weet toch wel zeker dat ze hier langskomen? Straks missen we de hele optocht en de hoed met snoep,' twijfelt Bert.

'Nee hoor, ze moeten hier langs, anders kom je niet terug in het park.' In de verte klinkt de drumband alweer. Fien staat even op en kijkt over de motorkap. Ja hoor, daar komen ze alweer aan.

De drumband komt weer voorbij marcheren.

'Verrek!' roept Fien. 'Die man voorop met de staf, zie je dat?'

Het is de tijdschriftenman. Hij loopt achterstevoren voor de drumband uit.

'Joehoe!' gilt Fien.

De tijdschriftenman kijkt opzij.

'Joehoe! Ik ben het!'

De tijdschriftenman struikelt bijna.

'Niet laten vallen, hoor!' gilt Fien. 'Wel goed opvangen.'

De tijdschriftenman is rood aangelopen.

Bert trekt Fien weer achter de auto. 'Straks merken ze het en dan krijgen we geen medaille. En geen snoephoed.'

Hij gluurt vanachter de motorkap. 'Ik zie Peggy nog steeds niet.'

Ze wachten totdat de stoet voorbij is en sluiten snel weer achter aan.

'Hé, waar waren jullie nou?' vraagt een jongen met rood haar en sproeten.

'We waren even naar voren,' antwoordt Fien snel.

De optocht nadert de toegangspoort van het park en daarna lopen ze naar de grote vijver. Overal staan mensen langs de kant.

'Daar zijn papa en mama,' wijst Bert. Ze rennen ernaartoe.

'Hier,' zegt mama terwijl ze hoeden vol met snoep op hun hoofden zet, 'omdat jullie zo goed gelopen hebben. Blijven jullie straks bij de medaille-uitreiking op ons wachten? Dan lopen we samen naar huis, als jullie dat dan nog kunnen.'

Ze staan bij de medailles. Fien en Bert hebben hem opgespeld. Daar is Peggy met haar moeder.

'Hoi!' roept Fien. 'Is het goed gegaan?'

'Heel erg goed,' antwoordt Peggy's moeder.

'Ik heb je helemaal niet gezien,' zegt Bert. 'Liep je soms in het midden?'

'Dat kunnen jullie helemaal niet weten,' roept Peggy boos, 'want jullie liepen achteraan.'

'Nee hoor,' antwoordt Fien, 'we zijn af en toe een stukje vooruitgelopen.'

Daar zijn papa en mama.

'Mag ik op je schouders, papa?' vraagt Fien.

'Vooruit.' Papa gaat op zijn hurken zitten. 'Klim er maar op. Je zal wel geen voeten meer over hebben. Kleine kilometervreter van me.'

# Vroege herfst

Fien zit op haar stoel te wiebelen. Ze kijkt naar haar groene vingers. dat komt door het plakwerkje dat ze net in haar tas heeft gestopt. Het is de laatste dag voor de zomervakantie. Als ze straks uit zijn, gaat de mooiste plant van de klas met haar mee naar huis. Daar gaan zij en Bert de hele zomer voor zorgen. Bert heeft zijn kar meegenomen, want de plant is veel te zwaar om te tillen.

'Wat moet je eigenlijk met die stomme plant?' heeft hij nog wel gevraagd. 'Waarom krijg je eigenlijk de duif niet mee? Misschien dat je hem dan weer vlieglessen kunt geven, net zoals vorig jaar.'

Fien denkt aan de vorige zomer. Toen mocht ze de duif mee naar huis nemen om te verzorgen in de zomervakantie. Het was een hele warme zomer en de kooi begon al gauw te stinken.

Om de kooi schoon te kunnen maken, moest de duif er even uit. Fien deed samen met Peggy de duif in een doos met gaatjes. Maar toen klonk er een knal van de uitlaatpijp van een auto. De duif schrok er zo van dat hij uit de handen van Fien ontsnapte. Hij bleef maar tegen het raam aan vliegen.

Ze probeerden hem te vangen door een handdoek over hem te gooien, maar hij wist elke keer te ontsnappen.

En toen vloog hij ook nog de kamer uit.

Ze renden het hele huis door om de duif weer terug naar de kamer te jagen. Zo liepen ze wapperend met een handdoek achter de duif.

Fien had zelfs de stofzuiger nog aangedaan. 'Dan zuigen we de duif gewoon vast.'

Maar Peggy vond het niet goed. 'Als je dat doet, ga ik het aan de juf zeggen.'

Fien wilde haar voor vervelende klikspaan uitschelden. Maar ruzie met Peggy kon ze er even niet bij hebben. De duif liet intussen overal poep vallen.

'Misschien moeten we hem even laten zitten, totdat hij gaat slapen. En dan sluipen we naar hem toe en pakken we hem,' bedacht Fien.

De duif zat intussen op de bank en trippelde zenuwachtig heen en weer. Hij liet af en toe iets op de bank vallen.

Muisstil bleven Peggy en Fien achter de deur zitten. Tot Peggy natuurlijk weer begon te zeuren. 'Ik krijg kramp in mijn benen,' begon ze, 'ik wil naar huis.'

'We moeten hem eerst vangen.'

'Het is jouw duif, jij hebt hem laten ontsnappen.'

Ze hoorden een deur opengaan; het was Bert.

'Ssst.' Fien wees naar de bank. 'De duif wil niet meer in de kooi.'

Bert strooide wat maïskorreltjes op de grond. 'Wacht maar, misschien krijgt hij honger.'

'Kom maar, duifje,' fluisterde Fien. 'Kom maar lekker naar de maïs.'

Ze stonden met een plaid van de bank nog steeds te wachten achter de deur. De duif fladderde van de bank naar de maïs en toen gooiden ze de plaid over de duif. Even later zat de duif weer veilig in zijn kooi.

Net als nu, denkt Fien. De duif ziet er nu weer gezond uit. Maar dat was vorig jaar zomer wel anders.

'Wat is er toch met die duif?' vroeg mama op een dag. 'Het lijkt wel alsof hij kaal begint te worden.'

Inderdaad waren op sommige plekjes van zijn borst de veren verdwenen. De roze huid scheen erdoorheen.

'Nou zal ik toch niet meemaken dat die duif ziek wordt.'

Mama en Fien gingen ermee naar de dierenarts.

'Wat deze duif nodig heeft, is rust,' zei de dokter. 'Is hij ergens van geschrokken? Duiven zijn namelijk gevoelige dieren.'

'En?' vroeg Bert toen ze thuiskwamen. 'Wat zei de dierenarts?'

'De duif heeft rust nodig,' sprak Fien, 'volstrekte rust.'

'Met jou in de buurt zeker?'

De zomervakantie was afgelopen, maar de duif was nog steeds niet hersteld. Op de roze huid van de duif waren de veertjes nog niet helemaal teruggekomen.

Ze hadden de kooi op de kar gezet toen ze weer voor het eerst naar school gingen. Over de kooi hadden ze de plaid gedaan. Samen hadden ze de duif weer in het klaslokaal van Fien gezet.

'Zo, duif,' zei Bert toen, 'terug op je ouwe plek. Oost, west, thuis best.'

'Wat is er met de duif gebeurd, Fien?' vroeg juf. 'Het

lijkt wel alsof hij helemaal is uitgevallen.'

'Papa zegt dat de herfst vroeg is dit jaar, juf.'

Fien is blij dat ze dit jaar de plant meekrijgt. Die kan niet wegvliegen, denkt ze, en die hoeft niet schoongemaakt te worden.

De bel gaat. 'Nou,' zegt de juf, 'allemaal een hele fijne vakantie, hè.'

Bert staat bij de deuropening met de kar, ze tillen de plant er samen in.

'Zul je goed op de plant passen, Fien? Dat hij met meer blaadjes terugkomt, en dat er niet hetzelfde gebeurt als vorig jaar met de duif?'

'Ik heb groene vingers, juf, kijk maar, net zoals mama. U ook een fijne vakantie, juf.'

# Racen met de kar

Fien slentert de tuin in. Ze weet niet wat ze moet doen. 'Ssst,' hoort ze opeens. Gauw verstopt ze zich achter de heg.

Bert loopt met Mark langs de heg naar de schuur. 'We moeten voorzichtig zijn. Fien mag niet zien dat we met de kar gaan rijden. Haar kunnen we er even niet bij gebruiken.'

Mark knikt. 'Liever niet.'

Fien kijkt nieuwsgierig door de heg.

Bert opent de schuurdeur. Daar staat de kar die hij samen met papa heeft gemaakt van de wielen van de oude kinderwagen. Hij gaat erin zitten en Mark gaat achter hem zitten, er is genoeg plek voor twee.

'Wat zijn jullie aan het doen?' Fien springt achter de heg vandaan en gaat voor de kar staan.

'Gaat je niets aan!' roept Bert. 'Dat gaat kleine meisjes helemaal niets aan.'

'Toevallig zijn dat ook mijn wielen. Ik heb ook in de kinderwagen gelegen.'

'Ja,' zegt Bert, 'en omdat je nog steeds een baby bent, blijf je met je vingertjes van de kar af.'

'O ja?' Fien zet haar handen in haar zij. 'Je bent zelf een kleuter en ik hoef helemaal niet met die stomme kleuterkar.'

Fien en Sjoerd lopen naar de tijdschriftenwinkel. Ze hebben geld gekregen om een ijsje te kopen.

'Ga jij het maar halen,' zegt Fien. 'Ik blijf wel even buiten wachten.'

'Durf je niet?'

'Best wel. Ik ben toch een piraat? Maar het is de rook, daar kan ik niet zo goed tegen.'

'Wat wil je voor ijsje?'

'Doe maar een raket, of nee, doe toch maar liever een cornetto met nootjes.'

Sjoerd loopt naar binnen en komt even later terug met twee ijsjes. 'Je hebt gelijk, het is een stinkzaak.'

'Ja, en de tijdschriftenman is een stinkerd. Hij ruikt naar de drukasbak van de palingmevrouw.'

'Zullen we even dag gaan zeggen tegen de palingmeneer? Hij zal vast wel alleen zijn.'

De palingmeneer staat bij de voordeur. Hij zet allemaal vuilniszakken op de stoep.

'Hoi, ben je aan het opruimen?' groet Fien. 'Dit is Sjoerd, hij is ook een piraat. Hij had eerst een lapje van pleisters op zijn oog. Dat wilde in de ochtend nooit wakker worden omdat het lui was, maar nou is het genoeg uitgeslapen.'

'Dag meissie, lief dat je even langskomt,' zegt de palingmeneer.

'Ik mis de palingmevrouw heel erg,' zegt Fien, 'en Sjoerd ook.'

De palingmeneer knikt. 'Ik mis haar iedere dag.'

'Wat zit er in die vuilniszakken?'

'Al haar kleren, die kan ik maar beter wegdoen.'

'Gaan ze dan in de vuilniswagen?'

'Nee, ze worden zo opgehaald door het Leger des Heils, die kunnen ze goed gebruiken.'

Er stopt een blauwe bestelbus. 'Hallo, meneer Sapij.' Het is Trees, van de buren van Fien. Ze heeft een uniform aan.

'Nog gecondoleerd met het heengaan van mevrouw Sapij.'

'Wat heb jij een raar pak aan,' zegt Fien.

'Dat is toevallig het uniform van het Leger des Heils.'

'Werk je dan niet meer bij de C1000?'

'Nee, ik ben soldaat van God geworden.'

Sjoerd kijkt naar haar rug.

'Is er soms iets?' vraagt Trees.

'Ik zat te kijken waar je geweer is, soldaten hebben toch altijd een geweer?'

'Ja,' roept Fien, 'hoe kun je nou vechten zonder geweer? Wij zijn piraten en we hebben messen en soldaten hebben geweren, anders zijn ze geen echte soldaten.'

'Moet je ook marcheren?' vraagt Sjoerd.

'Jullie hoeven me niet zo voor gek te zetten! Ik zal zo eens even met jullie moeders praten.'

'Toch vind ik het stom,' zegt Fien. 'Hoe kun je nu vechten voor God zonder geweer? Ik ga lekker later niet naar dat leger van jou.'

'Ik ook niet!' roept Sjoerd. 'Ik ga bij het echte leger, met een echt geweer.'

Trees draait zich om. 'Meneer Sapij, ik neem aan dat dit de zakken zijn?'

Ze dragen de zakken naar de bestelbus; Fien en Bert helpen mee.

Trees stapt weer in. 'Nogmaals dank voor de kleding,

het leger kan die kleding goed gebruiken. En u kunt altijd van de maaltijdenservice gebruik maken.'

Fien doet een saluut als de bestelbus wegrijdt.

Trees kijkt haar boos aan.

'Gaat Trees die kleren nou aantrekken?'

'Nee.' De palingmeneer schudt zijn hoofd. 'Die verkopen ze voor goede doelen.'

'Gaat Trees voor je koken?'

'Nee hoor, dat kan ik heel goed zelf.'

'Ik zal mama vragen of je een keer bij ons mag eten.'

'Dat is lief van je. Jullie lusten vast wel een snoepje, kom maar even binnen.'

De elektrische kar staat voor het raam.

'Ik zou nog met haar gaan rijden. Ik had nog bloemetjes voor haar geplukt. Die heb ik met Bert naar het ziekenhuis gebracht,' zegt Fien.

'Dat was heel lief van je.'

'Wat ga je nou met de kar doen?'

'Die wordt morgen opgehaald, hij was te leen.'

'Ik vind het jammer dat we er nooit mee gereden hebben. Kunnen we niet een stukje met de kar gaan rijden? Dat ik bij jou op schoot mag en dat Sjoerd achterop gaat staan?'

De palingmeneer denkt even na. 'Nou vooruit, maar echt maar een klein stukje, hoor.'

Hij duwt de kar door de kamer via het achterplaatsje naar de stoep.

'Oké, allemaal instappen.' Hij gaat zitten en Fien kruipt bij hem op schoot.

64

'Kom je ook, Sjoerd?' roept Fien. Sjoerd
gaat op de achterstang staan.

De palingmeneer draait het sleuteltje
om. De kar begint te zoemen en er gaat
een rood lampje branden. De palingmeneer duwt een hendel naar voren en
de kar begint langzaam te rijden.

'Wat een lekkere kar!' gilt Fien. 'Veel
leuker dan die stomme kar van Bert.'

'Kijk.' Ze wijst. 'Daar zijn Bert en Mark.'

Ze zien dat Bert op de kar
zit en dat Mark hem trekt.

'Kunnen we niet wat sneller, dat we ze inhalen?'

De palingmeneer duwt de hendel in de voorste stand en
de kar schiet naar voren. Daar staat de tijdschriftenmeneer.

'Pas op!' gilt Sjoerd.

'Opzij!' roept Fien. 'Daar komen de wegpiraten.'

De tijdschriftenmeneer kan nog net achteruit springen.
Ze komen steeds dichter bij Bert en Mark.

'Joehoe!' roept Fien.

'Opzij met die lompenkar!'

Mark houdt verbaasd stil als de palingmeneer, Fien en
Sjoerd voorbij rijden.

Fien steekt haar tong uit. 'Onze kar is lekker veel sneller
dan die van jullie, want wij hebben een echte racekar.'

Na een tijdje duwt de palingmeneer de hendel naar achteren. De kar staat stil. 'Zo, en nu gaan we weer terug.' Hij
draait de kar en ze rijden terug naar huis. Ze komen de
jongens weer tegen. Mark trekt nog steeds de kar.

'Hup, trekpaard!' roept Fien. 'Jullie komen bijna niet
vooruit.' Ze steekt haar tong uit.

'Nou mag je helemaal nooit meer op de kar,' roept Bert.
'Kan mij niks schelen, deze kar is veel leuker.'
De tijdschriftenmeneer staat nog steeds buiten.
'U zou beter moeten weten, meneer Sapij, en dat allemaal zo vlak na het heengaan van uw vrouw.'
De palingmeneer glimlacht vriendelijk. 'Ik denk dat mijn vrouw het heel fijn had gevonden om te zien dat we zo veel plezier hebben.'
Even later staat de kar weer binnen.
'Nou heb ik toch met de kar gereden,' zegt Fien. 'Alleen jammer dat de palingmevrouw er niet bij was, die had ook best wel willen racen, hè?'
'Vast,' knikt de palingmeneer.
'Jammer dat die kar morgen opgehaald wordt, anders hadden we nog een keer kunnen racen. Mag ik op de drukasbak duwen?' Fien duwt hard op de knop, ze kijkt met Sjoerd naar hun gezichten, die meedraaien in het glimmende metaal.
De palingmeneer pakt de asbak. 'Hier,' zegt hij, 'die mag je hebben, als aandenken aan mijn vrouw...'
'Echt waar?' roept Fien blij. 'Mag ik die echt hebben? Heb jij hem niet meer nodig?'
'Nee hoor, ik rook allang niet meer.'
'Dat is maar goed ook,' zegt Sjoerd. 'Roken is heel erg slecht.'
'Tot snel,' zegt Fien. 'Het was heel erg fijn op de kar.'
De palingmeneer zwaait ze bij de voordeur uit.

'Kijk eens,' roept Fien trots als ze thuiskomt, 'die heb ik gekregen van de palingmeneer als aandenken aan de palingmevrouw.'

'Mooi hè? Het is eigenlijk een vliegende schotel, kijk maar.' Ze drukt op de knop. 'En als je ernaar kijkt zie je mijn gezicht wel tien keer, mama. Een keer tien is tien keer Fien.'

'Ik vind één Fien meer dan genoeg, hoor,' lacht mama.

## Als nieuw

Fien heeft de plant van school elke dag water gegeven. 'Niet te veel, hoor,' heeft de juf gezegd, 'anders verzuipt hij.'

Maar nu is de zomervakantie bijna voorbij en er is toch iets geks met de plant. Er komen rare bultjes op sommige blaadjes en ze beginnen raar in elkaar te draaien.

'Bert, kom eens kijken. Zie je wat die plant raar doet.'

Hij kijkt naar de plant. 'Heb je hem soms te veel water gegeven?'

'Nee hoor, elke dag een klein beetje.'

'Misschien is dat ook te veel.'

'Weet je,' zegt Fien, 'ik denk dat de blaadjes een besmettelijke ziekte hebben, dat ze elkaar aansteken. Misschien moeten we de zieke blaadjes eruit knippen, zodat ze de andere niet ziek kunnen maken.'

Ze pakt een schaartje en knipt de rare blaadjes eraf. 'Zo,' zegt ze, 'dat ziet er een stuk beter uit.'

'Niets meer van te zien,' zegt Bert.

Maar de blaadjes blijven raar doen en door het snoeien blijven er steeds minder blaadjes over.

'Het lijkt de duif wel,' grinnikt Bert.

'Het lijkt wel of alles uitvalt waar jij met je handen aan-komt.'

'Pas maar op,' roept Fien, zwaaiend met haar plak-schaartje, 'dat jouw haar niet gaat uitvallen vanavond, als je slaapt, dat je helemaal kaal bent als je wakker wordt.'

Bert duikt weg van het schaartje. 'Ik denk niet dat jij de volgende vakantie nog iets meekrijgt van de juf om voor te zorgen. Of het moet iets zijn dat niet kan uitvallen.'

Fien kijkt naar de plant. Er zitten nog maar een paar blaadjes aan. Misschien weet mama een oplossing.

Mama bekijkt de plant eens goed. 'Ik denk niet dat hier nog veel van te maken valt,' zegt ze. 'Laten we hem maar op het balkon zetten. Ik weet niet wat voor ziekte het is, maar ik wil niet dat de andere planten het ook krijgen.'

'Hoe moet dat nou als we maandag weer naar school gaan?' vraagt Fien. 'Ik kan toch niet die kale stam teruggeven?'

'Jullie mogen zaterdag allebei iets leuks uitzoeken voor jezelf, omdat we niet op vakantie zijn geweest. En dan kopen we op de plantenmarkt een nieuwe plant. De juf zal er niets van merken. Jij komt op school met een iets grotere plant dan deze, zodat het net lijkt alsof hij gegroeid is. Maar je doet me een groot plezier als je de vol-gende vakantie eens even niets mee naar huis neemt om voor te zorgen.'

Het is zaterdagmarkt rondom het stadhuis.

'Kom, Fien, even doorlopen. Ik heb geen zin hier de hele dag op de markt rond te hangen,' zegt mama. Bert is met papa naar de hengelzaak, hij mag een hengel uitzoe-ken.

Fien kijkt naar de klok van het stadhuis. De wijzers staan allebei omhoog. Het is bijna twaalf uur.

'Even wachten op het klokkenspel,' smeekt ze. De klok slaat twaalf uur en de poortjes onder de klok gaan open. Er komen twee schildwachten uit, een jonkvrouw en een ridder. En dan gaan ze weer achteruit de geopende poorten in, de schildwachten het laatst.

'Goed,' zegt mama, 'poppetjes gezien, deurtjes dicht. Kom, we moeten nog naar de plantenmarkt, een nieuwe ficus kopen, en we moeten jouw cadeautje nog uitzoeken.'

'Weet jij nog hoe groot hij was?'

Fien wijst tot halverwege haar middel.

'Nou, dan moet die het maar worden. Ik hoop dat-ie in de fietstas past.'

Daar zijn Bert en papa. 'Kijk eens,' juicht Bert, 'mijn eerste echte hengel.'

'Nou,' zegt mama, 'als jullie nou even hier bij de plant blijven wachten, dan kan ik met Fien naar de Speelgoed-Jumbo.'

'Je weet wat je wilt hebben, hè? Want ik heb echt geen zin om uren in die winkel te staan. Daar is het veel te warm voor.'

'Wat denk je, mama? Wat denk je dat ik wil hebben?'

'Ik heb zo'n vaag idee... Begint het met "juwelen"?'

'Heel erg warm,' antwoordt Fien enthousiast.

Ze lopen de Jumbo binnen, rechtstreeks naar de kassa.

'Een Juwelen-Barbie graag,' zegt Fien.

'Het rechterpad, naast de treinen,' wijst de verkoopster.

'Zie jij die Juwelen-Barbie ergens staan?' vraagt mama. Ze loopt terug naar de kassa. 'We kunnen haar niet vinden.'

70

De verkoopster kauwt op haar kauwgum. Ze pakt de telefoon. 'Ja, hier met Vivian, ken jij effe kijke of er nog Juwelen-Barbies in het magazijn legge... Oké.' Ze hangt op. 'Uitverkocht,' zegt ze tegen Fien en mama, 'en ook niet meer in bestelling. Het is een beetje over met de Juwelen-Barbie, ze liep niet meer zo. Maar we hebben wel een aantal nieuwe modellen, hoor.'

'Die wil ik niet! Het is Juwelen-Barbie of... Ik denk dat ik maar liever zwarte lakschoenen heb.'

'Hoe kom je daar nou weer bij?'

'Peggy en Chantalle hebben ze ook.'

Mama zucht. 'Nou ja, ik had beloofd dat je iets mocht uitzoeken.'

Ze lopen de Jumbo uit en steken het plein over naar de schoenenzaak. Ze zwaaien naar Bert en Papa. 'We komen er zo aan!' roept mama.

Fien past alle lakschoenen die er zijn.

'Nou,' zegt mama, 'welke worden het?'

'Deze,' wijst Fien.

'Moet ik ze in de doos doen?' vraagt de verkoopster. Fien schudt haar hoofd. 'Nee hoor, ik hou ze lekker aan.'

Even later lopen ze naar huis.

Het is maandagochtend. Bert heeft de

71

kar bij de voordeur neergezet. Papa zet de plant op de kar, als nieuw. Nou maar hopen dat de juf niks merkt.

Ze lopen langs de sloot via de Celebeskade naar de school.

Juf staat op het plein. 'Kijk nou eens!' Ze klapt in haar handen. 'Daar is de plant en hij is nog helemaal heel, en wat ziet hij er mooi en glimmend uit. Fien, je kunt zien dat je goed je best hebt gedaan. Fijn dat-ie weer terug is.'

'Ja, hè.' Fien wrijft over een van de blaadjes. 'Helemaal als nieuw...'